Colección **libros para soñar**

Título original en italiano: **A inventare i numeri**

C/ Avión Cuatro Vientos, 7 – 41013 Sevilla
Telefax: 954 095 558
andalucia@kalandraka.com

Impreso en C/A Gráfica
Primera edición: abril, 2007
ISBN: 978-84-96388-61-1
D.L.: SE-1431-07

Gianni Rodari

INVENTANDO NÚMEROS

Alessandro Sanna

kalandraka

–¿INVENTAMOS NÚMEROS?

–¡VALE!, LOS INVENTAMOS; EMPIEZO YO.

CASI UNO, CASI DOS,
CASI TRES, CASI CUATRO,
CASI CINCO, CASI SEIS.

4
5
6

–SON MUY POCOS. ESCUCHA ESTOS:

UN EXTRAMILLÓN DE BILLARDONES,
UNA MACRONELADA DE TRILLONES,
UN CUATRILLONARDO Y UN MARABILLÓN.

–AHORA YO INVENTARÉ UNA TABLA:

TRES POR UNO, EN CASA HAY UN MULO;
TRES POR DOS, EL BUEY COME ARROZ;
TRES POR TRES, LECHE CON CAFÉ;

TRES POR CUATRO, BIGOTES DE GATO;
TRES POR CINCO, SALTO Y BRINCO;
TRES POR SEIS, YA NO ME VEIS;

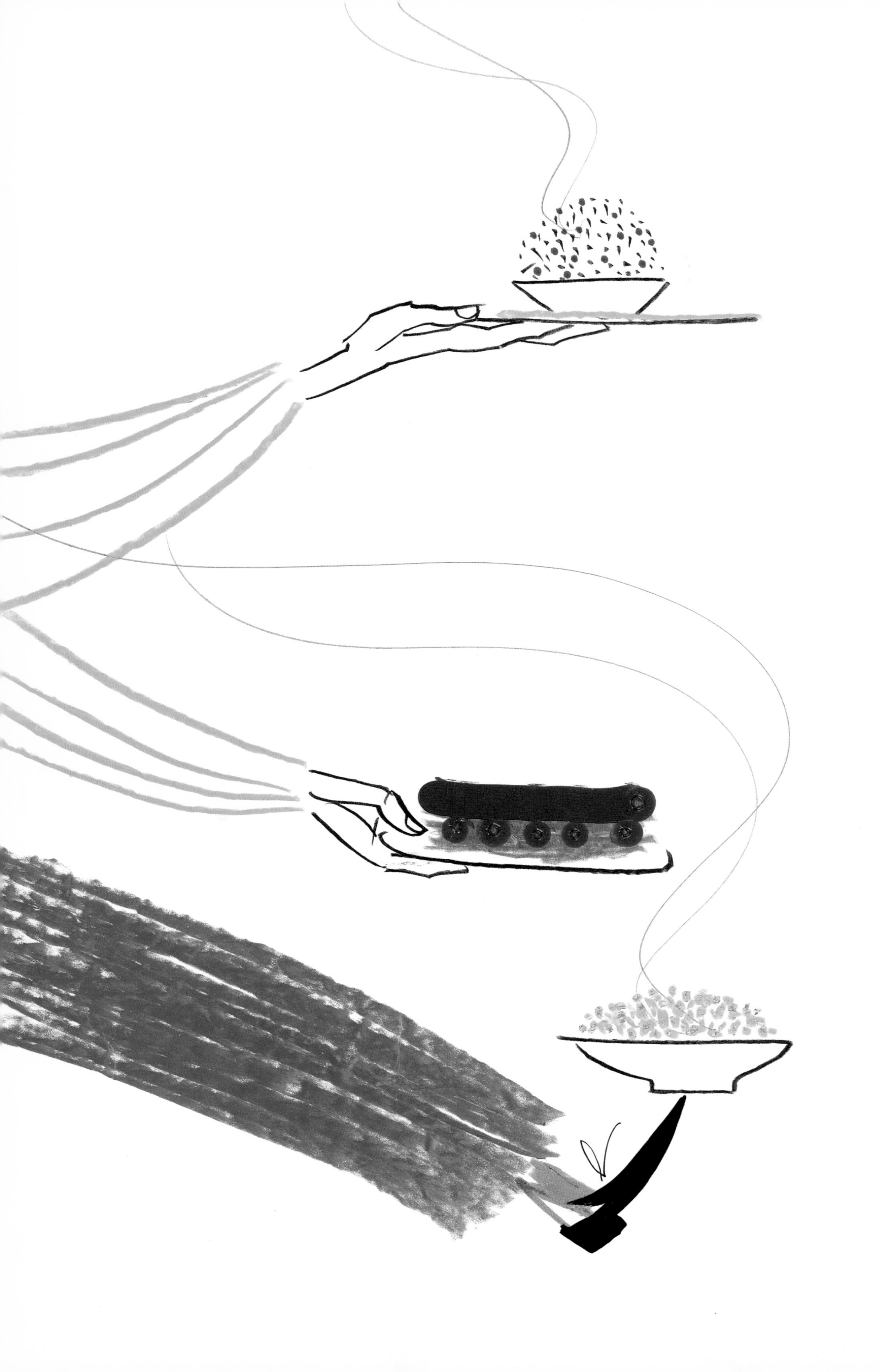

TRES POR SIETE, TARTA Y SORBETE;
TRES POR OCHO, NATA CON BIZCOCHO;
TRES POR NUEVE, EN CASA NO LLUEVE;
TRES POR DIEZ, GUISANTES Y NUEZ.

–¿CUÁNTO CUESTA ESTA PASTA?

—DOS TIRONES DE OREJAS.

–¿CUÁNTO HAY DE AQUÍ A MILÁN?

–MIL KILÓMETROS NUEVOS,
UN KILÓMETRO USADO
Y SIETE BOMBONES.

–¿CUÁNTO PESA UNA LÁGRIMA?
–DEPENDE: LA DE UN NIÑO CAPRICHOSO
PESA MENOS QUE EL VIENTO,
PERO LA DE UN NIÑO HAMBRIENTO
PESA MÁS QUE TODA LA TIERRA.

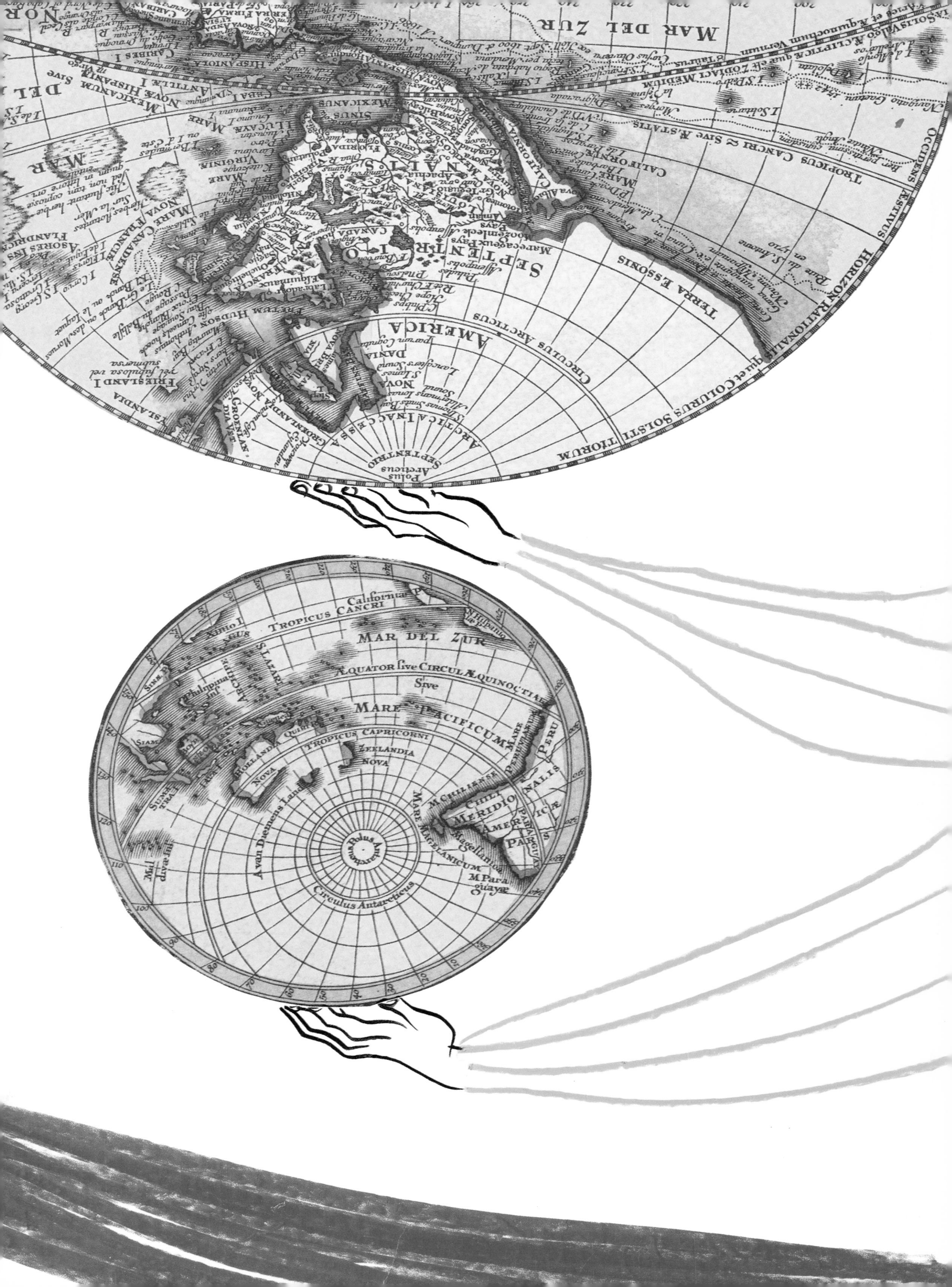

MAR DEL ZUR
TROPICUS CANCRI
AMERICA
SEPTENTRIONALIS
TERRA ESSONIS
CIRCULUS ARCTICUS
California
TROPICUS CANCRI
MAR DEL ZUR
ÆQUATOR sive CIRCULUS ÆQUINOCTIALIS
Sive
MARE PACIFICUM
TROPICUS CAPRICORNI
ZEELANDIA
NOVA
HOLLANDIA
NOVA
PERU
CHILI
MERIDIONALIS
AMERICA
MARE MAGELLANICUM
Circulus Antarcticus
Polus Antarcticus
Van Diemens Land
SIAM

–¿CUÁNTO MIDE ESTE CUENTO?

28 29 30 31 32 33 34 35 36 37 38
55 56 57 58 59 60 61 62 63 64 65 66 67 68 69 70 71 72 73 74 75 76 77

–¡MUUUUCHO!

–AHORA, PARA ACABAR,
INVENTAREMOS APRISA
OTROS NÚMEROS.

YO LO DIRÉ A LA MANERA DE MÓDENA:
UNCI, DONCI, TRENCI,
QUALE QUALINCI, MELE MELINCI,
RIFI, RAFE Y DIEZ.

–PUES YO LO DIRÉ A LA MANERA DE ROMA:
UNA, DOCICA, TRECICA,
CUATRANA, COLOR DE MANZANA,
LA BURRA, LA PEZ, ¡CONTIGO SON DIEZ!